일을 시작하면,
중간에 그만두지 않고
끝까지 해내요.

엄마 아빠가
하는 것을 잘 보고
따라 해요.

웃는 얼굴로
즐겁게 해요.

글쓴이 다쓰미 나기사

오차노미즈여자대학에서 교육학을 공부했습니다. 대학을 졸업한 뒤 편집자, 기자, 마케팅 기획자를 거쳐 작가가 되었습니다. 2000년에 일본에서 출간한『버리는 기술』이 130만 부 이상 팔리면서 베스트셀러가 되었습니다. 지금은 책과 강연 등을 통해 아이들이 스스로 정리 정돈하는 습관을 들이고, 집안일을 잘 배울 수 있도록 돕고 있습니다. 우리나라에 소개된 책으로『버리는 기술』『정리만 잘해도 성적이 오른다』『머리 좋은 아이로 키우는 심부름 습관』등이 있습니다.

그린이 스미모토 나나미

그래픽디자이너로 활동하다가 지금은 디자인 및 일러스트 회사를 설립해 일러스트레이터로 활동하고 있습니다. 주로 실생활과 관련된 책과 잡지에 그림을 그리고 있습니다. 우리나라에 소개된 책으로『혼자서 참지 않아요!』『'싫다'고 말해요!』『절대로 따라가지 않아요!』등이 있습니다.

옮긴이 김지연

어린 시절부터 책은 가장 친한 친구였고, 자연스레 좋은 책을 만들고 싶다는 꿈을 꾸게 되었습니다. 지금은 그 꿈을 이루어 일본어로 된 어린이 책을 아름다운 우리말로 옮기는 일을 하고 있습니다. 오늘도 어린이들에게 예쁜 꿈을 심어 줄 수 있기를 소망하면서 한 글자 한 글자 마음을 담아 번역하고 있답니다. 옮긴 책으로는『말하면 힘이 세지는 말』『우리 집 일기 예보』『오늘 넌 최고의 고양이』『너는 어떤 힘을 가지고 있니?』등이 있습니다.

바른 습관책
처음 정리 생활

다쓰미 나기사 글 | 스미모토 나나미 그림 | 김지연 옮김

책속물고기

✳ 차례 ✳

청소와 정리 —— 4

빨래와 정리 —— 16

식사 준비와 정리 ——— 26

정리의힘 왜 정리를 해야 할까요?

식사 준비와 뒷정리를 함께하면
배려심이 커져요! ——— 37

생활 속 정리 ——— 38

정리의힘 왜 정리를 해야 할까요?

함께 생활하는 공간을 살피고 챙기면서
책임감을 배워요! ——— 48

청소와 정리

큰일 났어요.
집 안이 엉망진창이에요.
어떻게 하면 좋을까요?
다 같이 힘을 모아 깨끗하게 청소해 봐요.

생각하기 **나는 무엇을 할 수 있을까요?**

❀ 아빠는 왜 발을 감싸고 있을까요?

❀ 쓰레기통 밖에 떨어져 있는 쓰레기는 어떻게 하면 좋을까요?

❀ 식탁 위가 어지럽혀 있어서 간식 놓을 자리가 없어요.

❀ 탁자 위에 크레파스가 묻어 있어요.

❀❀❀ 어떤 일을 할 수 있는지 더 찾아봐요!

탁자 닦기

때가 묻었을 때는 걸레로 닦으면 깨끗해져요.
탁자 위에 쏟은 우유나 탁자에 묻은 때, 손자국까지 싹 사라져요.
한번 깨끗한 걸레로 빡빡 닦아 봐요.
온 집 안이 반짝반짝 빛날 거예요.

엄마, 큰일 났어요.

우유가 쏟아졌어요!

괜찮아. 우리 같이 걸레로 닦아 보자.

걸레를 접는 방법

❶ 그림에 표시된 순서대로 걸레를 접는다.

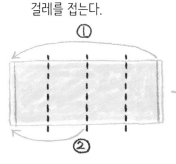

모서리를 잘 맞춰서 접을 수 있을까?

❷ 두 손을 올릴 수 있는 크기가 딱 좋다.

❸ 닦아서 더러워지면, 더러워진 면이 안쪽으로 들어가도록 접는다.

걸레를 짜는 방법

❶ 걸레를 두 손으로 꼭 잡을 수 있는 크기로 접는다.

❷ 손목을 안쪽으로 비틀면서 꼭 짠다. 그러면 손바닥에 힘이 모여서 물기가 잘 짜진다.

❸ 아래쪽 손만 고쳐 쥐고 다시 한 번 꼭 짠다.

물기는 잘 짰겠지?

탁자를 닦는 방법

탁자 위에 우유나 과자 부스러기를 흘렸을 때는 흩어지지 않도록 감싸듯이 닦아 낸다.

탁자 위에 크레파스가 묻었을 때는 손가락 끝에 힘을 주고 박박 문질러서 자국을 없앤다.

모서리에 쌓인 먼지를 닦을 때는 집게손가락을 걸레로 감싸서 꼼꼼히 닦는다.

걸레를 빠는 방법

때가 묻은 걸레는 다음에 쓰기 위해 깨끗하게 빨아야 한다.

물에 담가 두 손으로 비비면서 때를 없애야 돼.

젖은 채로 놔두면 냄새가 날 수 있어.

물기를 꼭 짜서 햇볕에 말린다.

걸레질하는 방법

탁자를 닦을 때 팔목을 크게 움직이면서 걸레로 왔다 갔다 하는 동작을 되풀이한다.

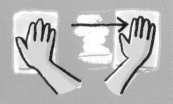

화살표 방향을 따라 걸레질을 해 보자. 마지막에 크게 한 바퀴 돌 듯 걸레질하면서 마무리한다.

꼭 조심하기!

설마 이렇게 걸레를 짜는 사람은 없겠지?

✻ 동그랗게 말아서 짜기! 물기가 안 없어진다.
✻ 손가락으로 대충 주물러서 짜기! 손가락 힘만으로는 걸레를 짤 수 없다.

깨끗해지니까 기분이 좋아요.

어? 창문도 더럽네요.

이번에는 창문도 반짝반짝하게 닦아 볼까?

창문 닦기

창문이 뿌옇게 흐려서 밖이 보이지 않네요.
창문 바깥쪽에는 먼지가 묻어 있고, 안쪽에는 손자국이 가득해요.
창문을 깨끗하게 닦으면, 집 안 공기까지 깨끗해질 거예요.

세제가 없어도
깨끗하게
닦을 수 있어.

물걸레와
마른걸레가
필요해.

제가 물걸레를
맡을게요.

전 마른
걸레요!

창문을 닦는 방법

물걸레로 전체적으로 때를 닦아 낸다.
손자국이나 흙이 남아 있으면 그 부분만 힘을
실어서 박박 닦는다.

그다음에 마른걸레로
닦는다.
닦는 방법은 7쪽의
'걸레질하는 방법'과
같다.

창문을 닦는 순서

❶ 먼저 물걸레나 창문닦이로
닦는다. 그다음 마른걸레로
물기를 닦아 낸다.

❷ 창문닦이로 닦았을 때는 창틀에 고인
물기를 마른걸레로 꼼꼼히 닦는다.

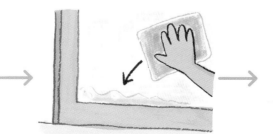

❸ 손이 자주 닿는 부분은 손때가
남기 쉬우므로 맨 마지막에
닦는 게 좋다.

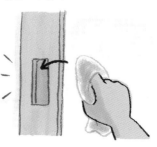

창문 바깥쪽이
베란다나 마당이라면,
창문을 닫고
물을 뿌려서
닦아도 돼.

청소기 돌리기

청소기는 쉽고 빠르게 바닥을 치울 수 있는 힘이 있어요.
청소기 사용법을 잘 익히면 혼자서 내 방 청소도 할 수 있지요.

청소기를 돌리기 전에 바닥에 흐트러진 물건부터 정리하자.

네!

정리 시작!

꼭 조심하기!

너무 세게 움직여서 벽이나 의자에 부딪히지 않도록 조심한다.

구석에 쌓인 먼지는 흡입구를 빼내서 관으로 빨아들인다.

청소기 전깃줄이 꼬이지 않도록 조심한다.

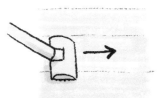

마룻바닥은 결을 따라 움직여야 틈에 낀 먼지까지 빨아들일 수 있다.

바닥을 청소하는 방법

① 청소기를 잘 잡는다.

② 구석부터 시작해서 빠짐없이 청소한다.

여기부터!

③ 먼지 흡입구를 천천히 움직인다.

④ 의자와 책상 아래도 빼먹지 말고 꼼꼼히 청소한다.

모래나 과자 부스러기가 떨어져서 바닥이 더러워지면 청소기를 돌리면 돼. 그러면 눈 깜짝할 사이에 다시 깨끗해질 거야.

거실 정리하기

거실은 온 가족이 함께 쓰는 공간이에요.
그런데 혹시 온갖 물건이 널려 있어서 지저분하지는 않나요?
각자 자기 물건을 정리하기만 해도 거실이 훨씬 깔끔해질 거예요.

내 물건 정리하기

장난감을 새로 꺼낼 때는 가지고 놀던 장난감을 제자리에 둔다.

자기 전에
내 물건을
꼭 정리하자.

잘 자.

다른 사람 물건도 정리해 주기

거실은 가족이 함께 쓰는
공간이므로 내 물건뿐만 아니라
다른 사람의 물건을 같이
정리해 주면 더 좋다.

바닥 정리하기

흩어진 방석은 가지런히 정리한다.

텔레비전 리모컨이
바닥에 있으면,
텔레비전 선반 위나
탁자 위에 올려놓는다.

밤에는
거실 커튼을
닫고 자는 게
좋아.

내 방
정리하기

내 방을 매일 청소해 주고 정리해 주는 사람은 누구인가요?
부모님이 해 주지 않아도 스스로 정리해 봐요.
정리를 잘하는 방법을 알고 싶다고요? 간단해요.
제자리에 갖다 놓기만 하면 되거든요.

정리하기 전에 할 일

소중한 물건과 쓰레기가 섞여 있는지 확인한다.

필요한 물건과
필요 없는 물건을
나눈다.

정리하는 공간 정하는 방법

쓰임이 비슷한
물건끼리
모아 둔다.

연필과 공책   장난감

물건을 사용하는 공간 근처에
그 물건을 정리할 수 있는 공간을
만든다.

정리하는 방법

어디에 둬야 할지 모르는
물건은 부모님과 같이
정리할 장소를 정한다.

하나하나
원래 자리에
갖다 놓으면 돼.

정리할 장소를
정하고 나면,
다음부터 혼자서
정리한다.

다 같이 하니까
금방 끝났네.

깔끔해
졌어요!

현관 쓸기

현관은 우리 집의 얼굴이에요.
그러니까 항상 깨끗하게 청소해 두면 좋겠죠?
현관이 깨끗하면 집에 들어오는 모든 사람이
방긋방긋 웃으면서 들어올 거예요.

빗자루를 사용하는 방법

❶ 한 손은 빗자루 위쪽을, 다른 손은 조금 아래쪽을 잡는다.

❷ 위쪽 손에 힘을 주고 아래쪽 손을 움직이면서 살살 쓴다.

❸ 몸을 조금씩 움직이면서 쓰레기를 한쪽으로 모은다.

❹ 마지막으로 다 모은 쓰레기를 쓰레받기에 담는다. 이때 쓰레받기를 조금씩 뒤로 빼면서 쓰레기를 모두 담는다.

쓰레기가 날리지 않도록 빗자루를 차분하게 쓸어야 해.

현관을 청소하는 순서

❶ 현관 가장 안쪽 구석부터 쓸기 시작한다.

❷ 문 쪽을 향해 쓸어 간다.

❸ 신발장 밑에 쌓인 먼지를 쓸어 낸다.

❹ 한곳으로 쓰레기를 모아서 쓰레받기에 담는다.

집 앞을 청소할 때는 우리 집 앞만 쓸지 말고, 이웃집 앞까지 쓸어 주면 더 좋겠지?

욕실
청소하기

욕실 청소는 물놀이만큼 재미있어요.
매일 조금만 신경 쓰면 늘 깨끗한 욕실을 사용할 수 있지요.
다 같이 힘을 모아서 깨끗하게 만들어 볼까요?

지저분한 때 없애는 방법

욕실에 때가 낀 곳을 찾는다.
스펀지에 청소 세제를 묻혀서 거품을 낸 다음
박박 문지른다.

물때가 잘 끼는 곳.

욕실 의자 부근
바닥에는 때가
생기기 쉽다.

욕조는 물을 받아서 쓰기 때문에
물때가 남기 쉽다.

욕실 벽에는
샴푸나 비누 거품이
잘 묻는다.

> 조금만 더 크면
> 혼자서 욕실을
> 청소할 수 있지?

> 네!

샤워기로 물 뿌리기

때를 다 닦은 다음에는 샤워기로 물을 뿌린다.
뜨거운 물 대신 찬물로 하면 욕실에 습기가 덜 생긴다.

 꼭 조심하기!

곰팡이 청소는 엄마 아빠에게 맡기자.
욕실에 묻은 검은 때는 곰팡이다.
곰팡이 제거용 살균제는 손에 묻지 않도록 한다.

> 청소가 끝나면
> 문과 창문을 열어 두거나
> 환풍기를 켜서 욕실을 말려야 해.

화장실 청소하기

화장실은 모두가 사용하는 아주 중요한 장소예요.
그런데 화장실 청소를 좋아하는 사람은 거의 없지요.
뒤처리에 조금만 더 신경을 쓰면
누구나 기분 좋게 화장실을 사용할 수 있어요.

사용한 뒤 곧바로 확인하기

화장실을 사용하고 나면 더럽힌 부분이 있는지 바로 확인한다.

꼭 확인하기!

변기 안에 대변 흔적이 남아 있으면, 변기용 솔로 깨끗이 닦는다.

변기에 소변이 튀었으면, 화장실 휴지나 마른걸레로 닦는다.

머리카락이나 휴지 조각이 떨어져 있으면, 주워서 변기에 넣어 흘려 내리거나 쓰레기통에 버린다.

방금 생긴 얼룩이나 때는 쉽게 지워져.

화장실을 청소하는 방법

화장실을 좀 더 깨끗하게 청소하고 싶다면?

❶ 걸레로 변기를 깨끗하게 닦는다.
❷ 바닥에 떨어진 쓰레기는 청소기로 빨아들이거나 빗자루로 쓸어 낸다.

화장실이 깨끗하니까 마음도 반짝반짝 빛나는 것 같구나!

정리의
힘

왜 정리를 해야 할까요?

정리하는 습관을 기르면서
자립심을 키워요!

주변이 깨끗하면 마음도 깨끗해져요
물건을 사용하고 나면 제자리에 정리하고, 더러워진 곳이 보이면 청소하는 습관을 들여 봐요. 물건을 정리하면서 생각이 정리되고, 주변이 깨끗하면 건강하고 밝은 마음을 가질 수 있어요.

정리는 내 힘으로 할 때 더욱 빛나요
내 물건을 정리할 때 필요한 물건과 필요하지 않은 물건을 잘 나눌 수 있나요? 정리할 순서를 정하고 그대로 실천할 수 있나요? 정리할 공간을 혼자서 정할 수 있나요? 정리하면서 스스로 결정하고, 스스로

실천하다 보면 자기 자신이 뿌듯하게 느껴질 거예요. 그렇게 문제를 해결하면서 성취감을 느끼게 되고, 더불어 자립심이 생기게 될 거예요.

내가 할 수 있는 만큼 정리해요
서툴러도 괜찮아요. 중요한 건 누가 말하지 않아도 스스로 하는 거랍니다. 이제 내 방 정리부터 시작해 봐요. 집에서 꾸준히 정리하다 보면 정리 습관이 몸에 배고, 학교나 사회에 나가서도 자기 일을 잘 해낼 수 있을 거예요.

햇볕이 쨍쨍한 날은
빨래하기에 아주 좋아요.
커다란 이불과 작은 수건,
티셔츠와 바지, 실내화까지
전부 다 빨아 볼까요?
깨끗하게 빨아서 말린 다음
정리까지 잘해 놓는다면,
기분이 좋아질 거예요.

빨래와 정리

생각하기 **나는 무엇을 할 수 있을까요?**

❁ 다 마른 빨래는 어떻게 하면 좋을까요?

❁ 티셔츠는 어떻게 말려야 할까요?

❁ 실내화는 그냥 물에 담가 두기만 해도 될까요?

❁ 양말은 어떻게 말려야 할까요?

❁❁❁ 어떤 일을 할 수 있는지 더 찾아봐요!

빨래 널기

세탁기가 있어서 더러운 옷을 편하게 빨 수 있어요.
하지만 빨래는 거기서 끝이 아니에요.
빨래를 잘 말리기 위해서는 빨래를 잘 널어야 하거든요.
빨래 너는 일을 도와주면 부모님이 얼마나 좋아할까요?

빨래가 다 되면,
바로 꺼내야 옷에 주름이
안 생긴단다.

제가
도와드릴게요.

저도요.

빨래를 너는 방법

윗옷 널기

① 대충 접어서
손바닥 위에 올리고
탁탁 두드린다.
두드리면
옷 주름이 펴진다.

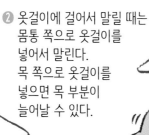

② 옷걸이에 걸어서 말릴 때는
몸통 쪽으로 옷걸이를
넣어서 말린다.
목 쪽으로 옷걸이를
넣으면 목 부분이
늘어날 수 있다.

수건 널기

① 두 손으로 가장자리
부분을 잡고 탁탁
소리가 날 정도로
크게 털어 준다.

② 옷걸이에 건 다음
잘 펴서 말린다.

양말 널기

짝을 맞춰서 빨래집게로 꽂는다.
발끝 부분이 위로 가는 게
좋을까? 발목 부분이 위로
가는 게 좋을까?

어느 쪽이든
상관없어.
우리 집에서는 양말을
어떻게 말리는지
알아볼까?

빨래를 잘 마르게 하는 방법

바람이 잘 통하는 곳에서 말리기

바람이 불면 빨래가 좀 더 잘 마른다.
빨래를 바람이 잘 통하는 곳에 널자.

일정한 간격을 두고 널기

빨래가 서로 다닥다닥 붙어 있으면,
공기가 통하지 않아서 잘 마르지 않는다.
10센티미터 이상 간격을 두고 너는 게 좋다.

빨래를 옮기는 방법

세탁기에서 꺼낸 빨래를 건조대까지 옮기는 방법은 여러 가지가 있다.
우리 집에서는 어떻게 하는지 부모님에게 물어보자.

옷걸이에
걸어서 옮긴다.

가장 편한
방법으로
하면 돼.

손으로 들고
옮긴다.

바구니에
담아서 옮긴다.

빨래를 나누는 방법

옷의 종류와 옷을 보관하는 장소에 따라 나눠서 넌다.
무엇과 무엇이 같은 종류인지 알아보자.

함께 종류별로
나눠 보자.

문제를 내면
내가 맞혀
볼게.

빨래 개기

빨래가 다 마르면 예쁘게 개야 해요.
대충 집어넣으면 꼬깃꼬깃 주름이 생기거든요.

빨래를 개는 방법

윗옷 개기

가슴 부분에 주름이
생기지 않도록 접는다.

소매가 긴 옷은
소매에 주름이 생기지
않게 조심한다.

속옷은 반으로 접어서
개도 된다.

바지 개기

양쪽 다리 부분을 잘 맞춰서 갠다.

팬티 개기

꼬깃꼬깃해지지 않게
접는다.

수건 개기

수건 가장자리를
딱 맞춰서 접는다.

양말 개기

양말은 여러 가지 방법으로 접을 수 있다. 어떤 방법이 좋을까?

반으로 접는다.

삼각형으로
접는다.

돌돌 만다.

서랍이나 옷장에
맞게 개는 방법을
생각하면 보관하기 편해.
부모님이랑 같이
생각해 보자.

고마워.
예쁘게
잘 갰구나.

옷마다
개는 법이
다르네요.

저는 양말을
삼각형으로
접었어요.

옷장에 넣기

깨끗하게 빨아서 잘 말린 빨래는
다음에 입기 위해서 잘 넣어 둬야 해요.
서랍 안에서 주름투성이가 되지 않도록
잘 넣을 수 있을까요?

수건은 어디에 넣어야 할까?
양말은? 어디에 뭘 넣어야 하는지
잘 기억해 두렴.

네!

옷을 넣는 방법

옷을 넣는 방법은 여러 가지가 있다. 꺼낼 때를 생각하면서 정리해야 한다.

서랍에 눕혀서 넣기

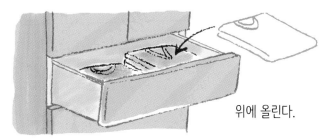

위에 올린다.

서랍에 세워서 넣기

안쪽에 넣는다.

선반에 넣기

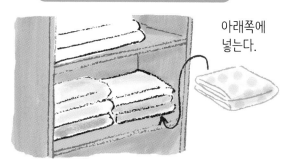

아래쪽에
넣는다.

바구니에 넣기

차례차례
넣는다.

무엇을
어떻게 넣어야
할지는 이미 들어가
있는 옷을 보면
알 수 있어!

손빨래 하기

음식을 먹다가 흘리거나 진흙이 묻었을 때는
전부 빨지 말고 얼룩이 생긴 부분만 빨면 돼요.
얼룩이 생겼을 때 곧바로 빠는 게 중요해요.

때가 묻은 부분을 손으로
비벼서 깨끗이 빨아 두면
세탁기가 좋아할 거야.

손빨래하는 방법

어떤 얼룩이든 생기자마자 바로 지우는 것이 중요하다.

❶ 얼룩이 묻은 부분에
빨랫비누를 문지른다.

❷ 두 손으로 잡고
비비면서 빤다.

손빨래가
끝난 다음에는
세면대 주변에
물이 떨어져 있는지
확인하고, 물기를
닦아야 해.

❸ 얼룩을 깨끗이
없앤 다음
빨래 바구니에
넣어 둔다.

얼룩의 종류에 따라 빠는 방법

물로 지워지는 얼룩도 있지만, 비누를 사용해야 하는 얼룩도 있다.

물로만 빨아도 될 때

간장이
묻었을 때

수성 물감이
묻었을 때

피가
묻었을 때

비누로 빨아야 될 때

케첩이 묻었을 때

초콜릿이
묻었을 때

진흙이 묻었을 때

실내화 빨기

혼자 힘으로 학교 실내화를 빨 수 있을까요?
'항상 내 발을 편하게 해 줘서 고마워.' 하는
마음을 담아 깨끗하게 빨아 봐요.

신기하게
생겼네요.

내 손에
딱 맞는 솔을
준비해 두면
좋겠지?

신발을 빨 때
신발 솔을 이용해
안쪽까지 깨끗하게
닦아야 해.

실내화를 빠는 방법

❶ 실내화를 물에 담가 둔다.

❷ 솔에 세제를 묻힌다.

❸ 한 손으로 실내화를 꼭 잡은 다음, 다른 한 손에
솔을 쥐고 전체를 박박 문지른다.

❹ 때가 많이 묻은
부분을 꼼꼼하게
닦는다.

❺ 실내화 안쪽 부분이 깨끗해졌는지 살펴보고,
바닥도 닦는다.

다 빤 다음에는
신문지를 깔고
그 위에 올려서
말리면 돼.

정리의 힘

왜 정리를 해야 할까요? ·········

옷차림이 단정하면
자신감이 생겨요!

깨끗한 옷을 입으면 기분이 좋아져요

깨끗하게 빨아서 잘 개어 두었던 옷을 입으면 콧노래가 절로 나와요. 좋은 냄새가 나고 깔끔한 모습이 보기 좋아서 덩달아 기분이 좋아지지요. 그러니까 옷이 더러워지면 손빨래를 하거나 빨래 바구니에 바로 넣어요. 학교에서 신는 실내화가 더러워지면 꼭 깨끗하게 빨고요. 그리고 빨래한 옷은 잘 널고 바싹 말려서 예쁘게 개요.

주위 사람들에게 좋은 인상을 심어 줘요

친구 집을 방문하거나 중요한 행사에 가게 될 때 단정한 옷차림을 갖추고, 예쁘게 접은 손수건을 챙겨 봐요. 그러면 사람들은 '저 아이는 이 자리를 소중하게 여기는구나.'라고 생각하면서 흐뭇해할 거예요.

바른 몸가짐이 바른 마음가짐을 불러요

옷을 단정하게 입으면 몸가짐이 바르게 되고, 마음속에 자신감이 쑥쑥 자란답니다. 어디서든 당당하게 행동할 수 있는 힘이 생기거든요. 단정한 옷차림이 무엇이든 할 수 있는 자신감을 부른다는 사실을 잊지 말아요.

25

가족이 함께 모여서 밥을 먹으면
밥맛이 더 좋아져요.
식사 준비와 정리도 다 같이 하면
훨씬 더 기분이 좋을 거예요.

식사 준비와 정리

생각하기 **나는 무엇을 할 수 있을까요?**

✿ 숟가락과 젓가락을 올바르게 놓을 수 있나요?

✿ 갓 지은 따끈따끈한 밥은 어떻게 해야 할까요?

✿ 밥을 먹을 때는 물도 필요해요.

✿ 샐러드를 먹음직스럽게 담을 수 있나요?

✿✿✿ 어떤 일을 할 수 있는지 더 찾아봐요!

쌀 씻기

"맛있어져라, 맛있어져라." 하면서
정성을 담아 쌀을 씻어 봐요.
그러면 밥이 훨씬 더 맛있어져요.

맛있어져라!
맛있어져라!

우리 함께
쌀을 씻어 볼까?

우리 집에서는
어떤 쌀을
먹고 있을까?
한번 알아볼래?

쌀을 씻는 방법

사람 수에 맞춰 쌀을 준비해요.

❷ 세 번째와 네 번째
씻을 때는 손바닥을
이용해서 쌀을 씻는다.
너무 세게 힘을 주면
쌀알이 부서진다.

백미

현미

잡곡

❶ 물을 부어 손가락으로 씻은 다음 물을 버린다.
물을 또 넣고 한 번 더 씻고, 물을 버린다.
이렇게 하면 쌀에 섞여 있던 찌꺼기를
없앨 수 있다.

❸ 밥솥 안쪽의 눈금을 보면서
물을 알맞게 넣는다.

쌀 한 톨 한 톨에는
여러 사람의 정성이
담겨 있어. 물을 버릴 때
쌀이 같이 버려지지
않도록 조심해야 해.

밥 담기와 주먹밥 만들기

밥을 그릇에 먹음직스럽게 담으면 밥맛이 더 좋아져요.
밥을 소담스럽게 담아 보고,
맛있는 주먹밥도 만들어 봐요.

함께 쌀을 씻어서
밥이 잘된 것 같구나.

배고파요!

밥 냄새가
참 좋아요!

전기밥솥 뚜껑을
계속 열어 두면
밥이 바싹 말라 버려.
밥을 푼 다음에는
곧바로 닫아야 해.

밥을 그릇에 담는 방법

주걱으로 두 번 정도 나눠서 밥을 푸는 게 좋아요.

❶ 밥솥에 든 밥을 주걱으로
가볍게 뒤섞는다.

❷ 한 손으로
밥그릇을 든다.

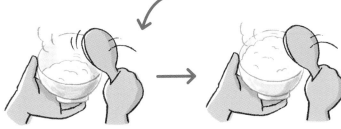

❸ 처음에는 밥그릇의
절반 정도 담는다.

❹ 두 번째 담을 때 먹을 수 있는 양을
생각하면서 소담스럽게 담는다.

주먹밥을 만드는 방법

물, 소금, 밥을 준비한다.

❶ 손에 물과 소금을 묻힌다.

❷ 한 손에 밥을 올리고
다른 손으로 감싸듯이
밥을 꼭 쥔다.

❸ 밥이 잘 뭉쳐지도록
손안에서 돌돌 굴린다.

김이나
다른 반찬과
함께 먹으면
더 맛있다.

채소 손질하기

껍질을 벗겨야 요리에 쓸 수 있는 채소가 있어요.
먹을 수 있는 부분까지 벗기지 않도록 조심해요.

채소 손질을 도와주면 요리를 더 쉽게 할 수 있겠는걸?

제가 양파 껍질을 벗길게요!

저는 오이를 손질할게요!

요리를 하기 전에 재료를 깨끗하게 씻고 잘 손질해야 돼.

껍질을 벗기는 채소와 껍질을 벗기지 않는 채소 구분하기

❋ 손으로도 잘 벗겨지는 채소는 어느 것일까?
❋ 칼이나 껍질 깎는 도구로 껍질을 벗겨야 하는 채소는 어느 것일까?
❋ 껍질을 벗기지 않아도 되는 채소는 어느 것일까?

※칼이나 껍질 깎는 도구는 반드시 부모님과 같이 연습해야 한다.

양파 껍질을 벗기는 방법

앗, 매워서 눈물이 나요!

❶ 바깥쪽부터 차례대로 벗긴다.

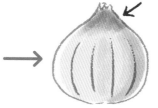

❷ 화살표 부분은 벗기지 않고 요리에 사용한다.

❸ 껍질을 모아서 버린다.

양파를 미리 차게 해 두면, 맵지 않게 껍질을 깔 수 있다.

음식 담기

엄마 아빠가 정성스럽게 만든 음식을 더 맛있게 먹는 방법은 무엇일까요?
바로 먹음직스럽게 담는 거예요.
음식에 따라서 어울리는 그릇과 맛있어 보이는 양이 다 달라요.

이 접시에 담으면 맛있어 보일 것 같아요.

샐러드 담는 것 좀 도와줄래?

네! 도와드릴게요.

볶음 요리도 튀김 요리와 같은 방법으로 담아 보자.

샐러드를 담는 방법

양상추 등의 잎채소는
투명한 접시나 흰색 접시가
잘 어울린다.
양상추를 수북하게 담고,
토마토와 오이는
한쪽으로 치우치지
않도록 담는다.

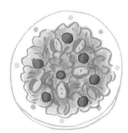

튀김 요리를 담는 방법

접시에 넓게 펼치지 말고,
한가운데를 산처럼
수북하게 담으면
훨씬 먹음직스러워 보인다.
바닥에 잎채소를
깔면 더 좋다.

국을 담는 방법

건더기를 골고루 담는다.
국그릇 언저리가 깨끗한지 확인한다.

너무 가득 담으면 안 돼. 손으로 들었을 때 넘쳐흐를 수도 있거든.

구운 고기를 담는 방법

고기를 담을 자리를 비워 두고, 곁들일 음식을 주변에 예쁘게 담는다.
고기가 익으면 빈자리에 놓으면 된다.

상 차리기

맛있는 식사 시간이에요!
식탁에 앉는 가족의 얼굴을 떠올리면서 상을 차려 봐요.
음식을 쏟지 않도록 조심하면서 부엌에서 식탁까지 잘 옮길 수 있겠죠?

식사 준비가
다 됐네.
같이 상을
차려 볼까?

네, 저는 밥을
옮길게요.

꼭 기억하기!

먹는 사람을 기준으로 밥그릇은
왼쪽에, 국그릇은 오른쪽에 놓는다.
숟가락과 젓가락은 국그릇 오른쪽에
놓는다. 그 위치에 숟가락은 왼쪽,
젓가락은 오른쪽에 가지런히 놓는다.

상을 차리는 방법

상을 차릴 때는 정해진 규칙이 있다.

밥그릇은 왼쪽,
국그릇은 오른쪽에
놓는다.

→

국그릇 오른쪽에
숟가락과 젓가락을
놓는다.

→

반찬은 밥과 국
앞쪽에 놓는다.

음식을 식탁에 옮기는 방법

부엌에서 식탁으로 음식을 옮길 때는 쟁반에 담아서 가지고 가는 것이 안전하다.

❶ 두 손으로
그릇을 들고
쟁반에 올린다.

❷ 발밑을 조심하면서
걷는다.

쟁반에 음식을
한꺼번에 많이
올리면 위험해.

❸ 먼저 쟁반을 식탁 위에 놓는다.
쟁반이 식탁에 잘 놓였는지
확인하고 나서, 그릇을
식탁에 옮긴다.

큰 접시는 두 손으로
들고 옮긴다.

잘 먹겠습니다!

요리를 하고,
식사 준비를 한
가족 모두에게
"잘 먹겠습니다!"라고
인사를 하자.

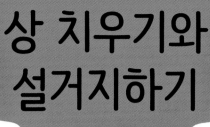

상 치우기와 설거지하기

맛있게 밥을 먹은 다음에는 정리를 해요.
다 먹은 그릇은 식탁에 그냥 놔두지 말고
빨리 씻는 게 좋아요.

우리 함께하자꾸나.

제가 접시를 모아서 옮길게요.

저는 설거지를 도울게요!

우리 집은 어떻게 할까?

부모님이 다 치운다.

자기가 먹은 그릇을 각자 치운다.

치우는 사람과 설거지하는 사람이 나누어 있다.

우리 집은 어떻게 할 것인지 가족이 함께 의논해 보자.

설거지통으로 옮기는 방법

그릇에 남은 음식물이 다른 그릇에 묻지 않도록 옮겨야 한다. 쟁반을 사용하면 한 번에 많은 그릇을 옮길 수 있다.

기름기가 묻지 않은 그릇은 겹쳐서 옮겨도 된다.

너무 많이 옮기면 위험해!

기름기가 묻어 있는 그릇은 하나씩 옮긴다.

설거지통에 놓을 때는 어떻게 하면 될까?

접시에 묻은 음식물을 그대로 두면
말라붙어서 씻기 어려워진다.
설거지통에 물을 담아서
그릇을 넣어 두면 좋다.

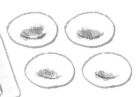

이제 설거지
시작!

나도 할게!

간식을
먹은 다음
스스로 컵과
접시를 씻을 수
있겠지?

설거지하는 방법

깨끗한 그릇부터 먼저 씻고 기름이 묻어서 끈적이는 그릇은 나중에 씻는다.

주방
세제

❶ 수세미에 주방 세제를
묻혀서 거품을 낸다.

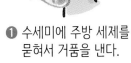

그릇은 뒤쪽과
가장자리에 찌꺼기가
남아 있기 쉬우니까
잘 확인해 봐.

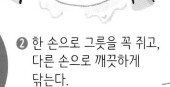

❷ 한 손으로 그릇을 꼭 쥐고,
다른 손으로 깨끗하게
닦는다.

❸ 다 닦은 다음······.

❹ 깨끗한 물로
헹군다.

그릇 닦기와 정리하기

설거지한 그릇은 제자리에 넣어 둬야 해요.
깔끔하게 다 정리하고 나면 기분이 좋아져요.

마른 수건으로 물기를 닦으면 되죠?

다 닦고 나서 같은 그릇끼리 정리하면 돼.

같이하면 금방 끝날 거예요.

접시 건조대에 그대로 말리는 경우도 있지만, 마른 수건을 사용하는 방법도 기억해 두자.

물기를 닦는 방법

물기가 남은 그릇은 미끄러우니까 조심해야 한다.

❶ 한 손으로 그릇을 꼭 쥔다.

❷ 다른 손에 쥔 마른 수건으로 물기를 닦는다.

❸ 그릇 뒤쪽도 물기를 닦는다.

그릇을 정리하는 방법

그릇은 원래 자리에 넣어야 한다.

떨어뜨리지 않도록 조심하면서 그릇을 양손으로 잡는다.

안쪽에 넣을 때는 먼저 앞에 있는 그릇을 꺼내서 다른 곳에 놓는다. 그리고 넣을 그릇을 안쪽에 넣은 뒤 꺼내 놓았던 그릇을 다시 제자리에 놓는다.

높은 곳에 넣을 때는 위험하므로 엄마 아빠에게 부탁한다.

제자리가 어딘지 모를 때는 부모님에게 물어보렴.

정리의
힘

왜 정리를 해야 할까요?

식사 준비와 뒷정리를 함께하면
배려심이 커져요!

행복한 식사 시간을 보내기 위해 노력해요

여러분은 언제 가장 행복한가요? 아마도 가족과 함께 맛있는 음식을 먹을 때일 거예요. 그런데 혹시 부모님이 차려 준 음식을 그냥 먹기만 하는 건 아니겠지요? 함께 식사 준비를 하고, 함께 뒷정리를 한다면 더 행복한 식사 시간이 될 거예요.

언제나 가족을 생각해요

부모님이 요리하기 편하도록 쌀을 씻고, 채소를 다듬어 보는 건 어떨까요? 그리고 식사 준비를 도우면서 가족이 좋아하는 음식을 한번 떠올려 봐요. 엄마가 좋아하는 음식을 엄마 자리 쪽에, 아빠가 좋아하는 음식을 아빠 자리 가까이에 놓아 봐요. 그렇게 가족을 생각하는 마음으로 식사 준비를 하면, 따뜻한 마음씨가 상대방에게 잘 전해져서 음식이 더 맛있게 느껴질 거예요.

서로 돕고 함께 의논해요

식사를 마치고 나서 뒷정리도 함께해요. 가족이 다 함께 설거지도 해 봐요. 서로 의논해서 각자 할 일을 나눠 보는 것도 좋고요. 가족끼리 서로 돕다 보면 배려심이 더욱 커질 거예요. 남을 배려하는 마음은 사람들과 좋은 관계를 맺을 때 커다란 힘이 된답니다.

생활 속 정리

신발 정리하기,
쓰레기 분리하기,
우산 말려서 정리하기…….
생활하면서 해야 할 일이
아주 많답니다.
이제부터 엄마 아빠의 일손을
덜어 주면 어떨까요?
다 같이 쾌적하게 생활하기 위해
내가 할 수 있는 일을 생각해 보고,
스스로 해 봐요.

생각하기 **나는 무엇을 할 수 있을까요?**

❋ 비에 젖은 우산을 어떻게 하면 좋을까요?

❋ 우편함에 우편물이 꽂혀 있네요.

❋ 꽃과 나무가 목말라하는 것 같아요.

❋ 쓰레기통이 가득 찼을 때는 어떻게 해야 할까요?

❋❋❋ 어떤 일을 할 수 있는지 더 찾아봐요!

신발 정리와 구두 닦기

밖에 나갈 때는 항상 신발을 신어야 해요.
나와 함께 어디든 가 주는 신발을 가지런히 정리해 보고,
반짝반짝 빛나게 닦아 봐요.

우리 집 현관이 마치 신발 가게 같아요.

오늘 가족 모두 쉬는 날이니까, 신발들을 꺼내서 닦아 볼까?

저도 구두를 닦아 볼래요.

꼭 기억하기!

❋ 가죽 구두는 구두약과 헝겊으로 닦는다. 구두약 사용은 부모님에게 부탁한다.
❋ 구두는 바람이 잘 통하는 베란다나 마당, 현관에서 닦아야 한다.
❋ 비 오는 날 신는 장화처럼 비닐로 된 신발은 헝겊에 물을 살짝 묻혀 닦는다.

신발을 정리하는 방법

집에 들어오면 벗은 신발을 정리한다.

❶ 신발을 벗는다.

❷ 나갈 때 신기 편하도록 신발 뒷부분을 집 안쪽으로 돌린다.

가족 신발도 같이 정리하면 더 좋다.

구둣솔로 구두를 닦는 방법

구둣솔로 신발에 묻은 흙이나 먼지를 털어 내며 닦는다.

❶ 구둣솔을 준비한다.

❷ 한 손으로 구두를 잡는다.

❸ 구둣솔로 구두가 깨끗해질 때까지 구석구석 닦는다.

구둣솔 모양은 여러 가지가 있대. 한번 알아볼까?

식물 가꾸기

식물은 잘 돌보지 않으면 금방 시들어요.
물을 챙겨 주는 것부터 시작해 봐요.

화분에
물 좀 줄래?

제가
할게요!

저도요!

화분에 물 주는 방법

물뿌리개로 화분에 물을 줘 보자.

꽃이 피어 있는
화분에는 흙에
물을 준다. 꽃잎에
물이 닿으면
잘 시든다.

꽃이 없는 화분은
잎사귀에
물을 듬뿍 준다.

여름에는
아침과 저녁, 겨울에는
낮에 물을 주는 게 좋아.
물을 너무 많이 줘도 꽃이
시들어 버리니까 조심해야 해.
흙이 말랐을 때 물을
주면 돼.

꽃병의 물을 갈아 주는 방법

꽃이
활짝 웃네요.

물이 썩지 않도록 물을 자주 갈아야 한다.

먼저 꽃을 꺼낸 다음
꽃병에 들어 있던 물을 버리고
깨끗한 물을 담는다.

꽃을 꺼내기 힘들 때는
꽃병 입구 쪽으로
물을 넣는다.
물이 흘러넘치면서
오래된 물이 밖으로 나온다.

우산 말려서 정리하기

비에 젖은 우산은 집에 도착하면 바로 말려야 해요.
젖은 채로 내버려 두면 다음에 펼쳤을 때 우산살이 녹슬거나
냄새가 날 수도 있거든요.

비 오는데
잘 다녀왔니?
우산은 젖은 채로
놔두면 안 돼.

어떻게
말릴까요?

물이 뚝뚝 떨어져요.
어디서 말리죠?

우산을 정리하는 방법

❶ 현관에
들어서기 전에
우산을 흔들어서
물기를 털어 낸다.

❷ 집 안에 말릴 장소가 없으면, 다음 날 날씨가 개었을 때 밖에서 말린다.

바람이
잘 통하는
베란다에 걸어서
말려도 좋아.

 꼭 조심하기!

✳ 햇볕을 너무 많이 받으면 천이 상하거나 색깔이 변할 수도 있다.
물기가 마르면 곧바로 접어서 정리한다.
✳ 우산을 말릴 때는 살이 구부러졌는지 등 망가진 부분을
미리 확인하면 좋다.

❸ 다 마른 우산은
접어서
우산 꽂이에
정리한다.

새 물건으로 바꾸기

집 안에는 새 물건으로 바꿔야 하는 것들이 많이 있어요.
화장실 휴지, 수건, 건전지, 샴푸……
다 쓴 물건을 확인하고, 새 물건으로 바꿔 봐요.

새 물건으로 바꿔야 하는 물건

엄마 아빠와 함께 생각해 봐요.

마지막으로 쓴 사람이 바꿔 놓으면 다음에 쓰는 사람이 편하게 쓸 수 있단다.

다 쓰면 바꿔야 하는 물건은 어느 것일까? 더러워지면 바꿔야 하는 물건은 어느 것일까?

저도 바꿀 수 있어요.

화장실 휴지를 갈아 끼우는 방법

휴지 끝이 깔끔하게 잘려 있는지 확인해 봐.

다 쓴 휴지 심을 꺼내고 휴지가 말린 방향을 생각하면서 새 휴지를 끼운다.

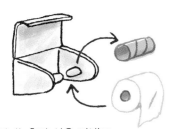  

다 쓴 휴지 심은 쓰레기통에 버린다.

새 샴푸로 바꾸는 방법

새 샴푸일 경우는 마개를 없애서 바로 사용할 수 있도록 준비해 둔다.

리필용이 있다면 뚜껑을 열고 원래 통에 샴푸를 부어 넣는다. 빈 리필용 봉지는 잊지 말고 버린다.

 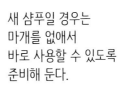  

린스나 바디샴푸도 샴푸와 같은 방법으로 바꾸면 돼요.

집 보기

집을 볼 때도 이것저것 해야 할 일이 있어요.
혼자 집을 보다가 손님이 찾아오거나 비가 오면 어떻게 해야 할까요?

시장 갔다가 올게.
집 잘 보고
있어야 해.

걱정
마세요.

문단속
잘 할게요.

꼭 기억하기!

집을 볼 때 지켜야 할 규칙

✳ 문을 꼭 잠근다.
✳ 낯선 사람에게 문을 열어 주지 않는다.
✳ 가스레인지를 함부로
사용하지 않는다.

손님이 찾아왔다면?

"부모님, 계시니?"라고 물으면,

➡ 몇 시쯤 돌아오는지
알려 준다.

날이 어두워지면,
전등을 켜서
집 안을
환하게 해.

부모님이 미리 말해 준
물건을 받게 되면,

➡ 전하는 말과 물건을 부모님에게 잘 전달한다.

비가 온다면?

집 안을 둘러본다.

열려 있는 창문을 닫는다.

빨래를 밖에 널어 놓았다면
비에 젖지 않게 걷는다.
너무 무리해서 하지 말고,
손에 닿는 빨래만
걷도록 한다.

쓰레기 분리하기

쓰레기를 버릴 때 모든 쓰레기를 같이 버리면 안 돼요.
쓰레기는 종류대로 잘 분리해서 버려야 해요.

쓰레기는 꼼꼼하게
분리해서 버려야 해.
잘할 수 있겠지?

쓰레기 종류가
너무 많아서
어려워요.

장난감 건전지는
일반 쓰레기인가요?

쓰레기를 분리하는 방법

건전지와 형광등은
동네마다 수거함이
따로 있어요. 우리 집은
어디에 버리는지
알아볼까요?

쓰레기는 이렇게 나눠서 버린다.

불에 타는 쓰레기

종잇조각, 나뭇가지, 휴지 등

불에 안 타는 쓰레기

깨진 유리, 그릇, 전선 등

재활용 쓰레기

캔, 병   종이 상자

페트병   신문   헌 옷   플라스틱

재활용 쓰레기를 분리하는 방법

재활용 쓰레기는 무엇으로
만들어졌는지 잘 살핀 다음
분리한다.

쓰레기를 분리하기 어렵다면?

쓰레기를 분리하는
방법을 잘 모르겠다면,
엄마 아빠와 함께
자세히 알아보자.

쓰레기 버리기

잘 분리한 쓰레기는 정해진 장소에 버려야 해요.
어떻게 하면 쓰레기를 수거하는 사람들이
편하게 일할 수 있을지 같이 생각해 봐요.

쓰레기 버리는 걸
도와준다면
참 좋을 텐데.

지저분하지만,
해 볼게요.

저도
도울게요.

불에 타는 쓰레기를 버리는 방법

불에 타는 쓰레기는
정해진 쓰레기봉투에
넣어서 버려요.

쓰레기를 너무 많이 넣으면 봉투를
묶기 힘드니까 적당하게 넣고
단단하게 묶는다.

막대기 등이
삐져나오지
않았는지 살핀다.

수거하는 장소에 내놓는 방법

쓰레기봉투를 똑바로 세워서
내놓는다.

불에 안 타는 쓰레기는
따로 버려야 해요.
부모님과 함께 알아봐요.

종이나 잡지, 신문을 묶는 방법

엄마 아빠와 함께 해 보자.

① 종이를 차곡차곡 쌓는다.
   바닥으로 끈을 통과시킨다.

② 끈을 위에서 십자
   모양으로 엇갈리게 한다.

③ 끈을 꼰 다음
   끈을 들어 올려도
   종이가 흐트러지지
   않는지 확인한다.

④ 마지막으로 끈을
   꽉 묶는다.

종이는 재활용 쓰레기
버리는 곳에 내놓으면 되죠?

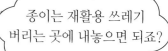

동생과 동물 돌보기

나보다 어린 동생이나 반려동물을 잘 돌봐 줘야 해요.
엄마 아빠가 바쁠 때는 대신 돌봐 줄 수 있겠죠?

동생
옷 입는 걸
도와줄래?

내가
도와줄게.

강아지 밥은
내가 줄게.

여러 가지 돌보기

아기 돌보기

아기가 책상이나 바닥에 머리를 부딪치거나
위험한 물건을 만지지 않도록
살피며 같이 놀아 준다.

동생 돌보기

동생이 위험한 장소에
가지 않도록 보살핀다.

둘 다 집 안
정리 정돈을
아주 잘하는구나.
앞으로 스스로
할 수 있겠지?

반려동물 먹이 주기

먹이를 매일
제시간에 챙겨 준다.
더러운 물은
깨끗한 물로
갈아 준다.

반려동물과 같이 놀기

반려동물과 같이 놀면서
용변 뒤처리하는 일도
도전해 보자.

정리의 힘

함께 생활하는 공간을 살피고 챙기면서 책임감을 배워요!

가족 모두 집안일을 해야 할 책임이 있어요

가족이 함께 생활하다 보면 할 일이 아주 많아요. 쓰레기를 버려야 하고, 신발을 정리해야 하고, 다 쓴 물건을 새 물건으로 바꿔야 하고요. 그런데 혹시 가족 중 한 사람이 다 하고 있지는 않나요? 여럿이 함께 생활하는 공간을 잘 챙기려면 무엇보다 책임감이 필요해요. 책임감이란 나에게 주어진 일을 다른 사람에게 미루지 않고 내가 앞장서서 하는 마음을 말하지요. 이제부터는 내가 먼저 집 안 정리를 해 보는 건 어떨까요?

내가 해야 할 일을 찾아서 해요

쓰레기통이 꽉 찼다면, 내가 먼저 쓰레기통을 비워 봐요. 다 쓴 물건이 보이면 새 물건으로 바꿔 봐요. 내 신발을 가지린히 놓으면서, 가족의 신발도 함께 정리하면 더 좋아요. 화분에 물을 주고, 반려동물에게 먹이를 주는 일도 해 봐요. 나보다 어린 동생을 돌보는 건 당연하지요.

자기가 해야 할 일을 잘 해내기만 하면, 생활이 좀 더 편해지고 모두가 행복해질 거예요. 무엇보다 한 번 시작한 일을 끝까지 해내도록 노력해요.

+ 생각을더하는 그림책」은 우리 아이들이 넓고도 깊은 생각을 할 수 있도록 국내외 좋은 그림책들을 모아서 구성한 그림책 시리즈입니다.

생각을더하는 그림책 05

바른 습관책
처음 정리 생활

초판 1쇄 2017년 9월 15일

글쓴이 다쓰미 나기사 | **그린이** 스미모토 나나미 | **옮긴이** 김지연
펴낸이 김찬영 | **책임편집** 김지현 | **편집** 백모란 | **마케팅** 김경민
펴낸곳 책속물고기 | **출판등록** 제2009-000052호
주소 경기도 파주시 문발로 115, 2층 202호(문발동, 세종출판벤처타운)
전화 02-322-9239(영업) 02-322-9240(편집) | **팩스** 02-322-9243
책속물고기 카페 http://cafe.naver.com/bookinfish | **전자메일** bookinfish@naver.com

ISBN 979-11-86670-82-8 77590

이 도서의 국립중앙도서관 출판예정도서목록(CIP)은 서지정보유통지원시스템
홈페이지(http://seoji.nl.go.kr)와 국가자료공동목록시스템(http://www.nl.go.kr/kolisnet)에서
이용하실 수 있습니다.(CIP제어번호: CIP2017019134)

KC	**품명** 아동 그림책	**제조일** 2017년 9월 15일
	사용연령 7세 이상	**제조자** 책속물고기
	제조국 대한민국	**연락처** 02-322-9239
	주소 경기도 파주시 문발로 115, 2층 202호(문발동, 세종출판벤처타운)	

주의사항 종이에 베이거나 긁히지 않도록 조심하세요.
책 모서리가 날카로우니 던지거나 떨어뜨리지 마세요.
KC마크는 이 제품이 공통안전기준에 적합하였음을 의미합니다.

신나는 그림 찾기 놀이

1 뒤집어진 신발

3 무지개

2 병아리

4 줄넘기

6 포크

5 신발 빨때 쓰는 솔

7 빗자루와 쓰레받기

8 음표